Für Hund und Katz ist auch noch Platz

Axel Scheffler, geboren 1957 in Hamburg, absolvierte ein Grafikstudium in Bath/England.
Seitdem lebt er als freischaffender Illustrator in London.

Julia Donaldson, geboren 1948 in London, arbeitete als Lektorin, Journalistin und Lehrerin.
Heute lebt sie als freie Schriftstellerin mit ihrer Familie in Glasgow.

Ihr gemeinsames Bilderbuch *Der Grüffelo* ist ein moderner Klassiker geworden und wurde
in unzählige Sprachen übersetzt und verfilmt.

Für Natasha, Sabrina und Jasmine
J.D.

Herausgegeben in Zusammenarbeit mit dem Moritz Verlag
von Markus Weber

Dieses Buch ist erhältlich als:
ISBN 978-3-407-76111-8 Minimax
ISBN 978-3-407-79282-2 Hardcover
ISBN 978-3-407-79342-3 Mini Hardcover
ISBN 978-3-407-79342-3 Pappbilderbuch

Erstmals als MINIMAX bei Beltz & Gelberg im August 2012
© 2001 Beltz & Gelberg
in der Verlagsgruppe Beltz • Weinheim Basel
Werderstraße 10, 69469 Weinheim
Alle Rechte der deutschsprachigen Ausgabe vorbehalten
Die englische Originalausgabe erschien erstmals unter dem Titel
Room on the Broom bei Macmillan Children's Books, London
© 2001 Axel Scheffler (Illustrationen)
© 2001 Julia Donaldson (Text)
Einband von Axel Scheffler
Druck und Bindung: Beltz Grafische Betriebe, Bad Langensalza
Printed in Germany
8 9   20 19

Weitere Informationen zu unseren Autor_innen und Titeln
finden Sie unter: www.beltz.de

Axel Scheffler · Julia Donaldson

Für Hund und Katz ist auch noch Platz

Aus dem Englischen von Mirjam Pressler

BELTZ
& Gelberg

Die Hexe will eine Reise machen,
drum packt sie ihre Siebensachen,
Hut, Zauberstab und Zaubertopf
und eine Schleife für den Zopf.
Die Katze hat sie auch dabei,
zusammen sind sie also zwei.
Geschwinde, geschwind
bläst sie der Wind.

Die Hexe, sie lacht,
doch lacht sie nicht lange.
Der Wind packt den Hut,
und das ist nicht gut.

»Stopp, halt!«, ruft die Hexe
mit bösem Gesicht.
Sie suchen den Hut
und finden ihn nicht.

Da kommt aus den Büschen
ein niedlicher Hund.
Rasch kommt er gelaufen
mit dem Hut im Mund.

Die Hexe hat wieder den Hut auf dem Kopf,
auf dem Hexenkopf mit dem roten Zopf.
Und der Hund sagt: »Kein Hündchen ist
braver als ich.
Habt ihr noch Platz
für ein Tier wie mich
auf dem Besenstiel?
Ich brauch ja nicht viel.«

Die Hexe ruft: »Ja,
der Hund kommt dazu!«
Ein Schlag mit dem Zauberstab
und los geht's, juhu!

Seht, wie sie fliegen
hoch über der Welt,
die Katze, sie schnurrt,
und der Hund, er bellt.
Und die Hexe lacht wieder
und hält ihren Hut.
Der Wind nimmt die Schleife,
und das ist nicht gut.

Was kommt da geflogen,
was ist denn das?
Ein Vogel, ein Vogel,
so grün wie das Gras.
Er bringt der Hexe die Schleife zurück.
Was für ein Glück!

»Stopp, halt!«, ruft die Hexe
mit bösem Gesicht.
Sie suchen die Schleife
und finden sie nicht.

»Kein Vogel«, so sagt er,
»ist so grün wie ich.
Habt ihr noch Platz
für ein Tier wie mich
auf dem Besenstiel?
Ich brauch ja nicht viel.«

Die Hexe ruft: »Ja,
du kommst noch dazu!«
Ein Schlag mit dem Zauberstab
und los geht's, juhu!

Es geht über Flüsse,
es geht über Seen,
sogar wenn es regnet,
die Welt ist so schön.
Was für ein Wind,
wie schnell sie sind!
Die Hexe kann die Schleife noch fassen,
den Zauberstab musste sie fallen lassen.

»Stopp, halt!«, ruft die Hexe
mit bösem Gesicht.
Sie suchen den Stab
und finden ihn nicht.

Dann quakt es laut im grünen Gras
direkt am Teich.
Wer ist denn das?
Ein tropfnasser Frosch
mit dem tropfnassen Stab.
»Ich hab ihn gefunden«, sagt er, »quak – quak.
Kein Frosch im Teich ist so sauber wie ich.
Habt ihr noch Platz für ein Tier wie mich
auf dem Besenstiel?
Ich brauch ja nicht viel.«
Die Hexe ruft: »Ja,
der Frosch kommt dazu!«
Ein Schlag mit dem Zauberstab

und los geht's, juhu!
Sie lachen und singen
und sausen und fliegen,
der Frosch macht ein Sätzchen
vor lauter Vergnügen.
Doch dann, ein Schrei ...

... DER BESEN, DER BESEN ER BRICHT ENTZWEI!

Der Frosch und die Katze, der Vogel,
der Hund,
sie taumeln vom Besen hinunter zum Grund,
versinken schnell mit Stiel und Stumpf
in einem Sumpf.

Die Hexe kann auch nicht mehr
richtig fliegen,
mit halbem Stiel, das ist kein Vergnügen.
Da tönt es auf einmal wie Donnergetöse
sehr laut und sehr böse ...

»Ich bin ein Drache,
der schlimmste von allen,
und ich habe Hunger, ich will dich fressen,
will Hexe mit Pommes zum Abendessen.«
»Nein!«, schreit die Hexe,
es verlässt sie der Mut.
Der Drache kommt näher,
spuckt Feuer und Glut.
Die Hexe, sie denkt, es ist aus und vorbei,
sie öffnet den Mund und heraus kommt
ein Schrei:
»Zu Hilfe, wer hilft mir in meiner Not?

Gleich frisst mich der Drache zum Abendbrot.«
Der Drache kommt näher,
schmatzt gierig, sagt nur:
»Vielleicht ess ich heute mal Hexe pur.«

Doch als er gerade anfangen will,
zu seinem Festmahl fehlt ihm nicht viel,
da steigt aus dem Sumpf ein Ungeheuer,
schlimmer als Schwefel
und schlimmer als Feuer,
mit Federn und Fell,
mit Gemaunz und Gebell,
vierköpfig und schmutzig,
nicht lieb und nicht putzig.
Eine Stimme hat es,
noch schlimmer als schlimmer,
es hört sich an
wie Geistergewimmer.
»Du Drache, hau ab«,
brüllt das schreckliche Tier.
»Die Hexe, die Hexe,
die Hex gehört MIR!«

Der Drache weicht rückwärts,
und Schweiß bricht ihm aus.
Schnell sagt er: »Da ist er, dein Hexenschmaus.
War nett, dich zu treffen,
doch jetzt tut's mir leid,
ich muss ganz schnell weiter,
es ist höchste Zeit.«
Das Untier zerfällt nun, Stück für Stück,
in zwei ... drei ... vier Tiere, was für ein Glück!

Die Hexe, sie weint, die Hexe, sie lacht.
»Ihr Lieben, ihr habt mich
so glücklich gemacht.
Ich bin euch so dankbar,
ich kann's gar nicht sagen.
Ohne euch wär ich jetzt schon
im Drachenmagen.«

Nun füllt sie ihren Kessel voll
und sagt zu den andern:
»Wenn's gut werden soll,
werft auch etwas rein,
eine Blume, zwei Zapfen,
einen Zweig, einen Knochen,
dann muss alles kochen.«

Die Hexe rührt im Zauberbrei
und sagt den Zauberspruch dabei:
»Schwuppdiwupp Kartoffelsupp,
abrakadabra und ei der Daus …

… was kommt heraus?«

EIN SUPERTOLLER BESENSTIEL!

Der allertollste Hexenbesen,
so ist noch nie ein Besen gewesen,
ein Superluxushexengefährt,
bewundernswert!

»Ja«, ruft die Hexe. »Hopp und los,
die Welt ist schön, die Welt ist groß.
Am schönsten aber ist das Fliegen!
Achtung, fertig, aufgestiegen.«

In der Reihe

MINIMAX

sind über 150 Titel lieferbar, unter anderem diese:

Marianne Dubuc
Gute Nacht, ihr Lieben!
978-3-407-76200-9

Martin Baltscheit
**Die Geschichte vom Löwen,
der nicht schwimmen
konnte**
978-3-407-76196-5

Philip Waechter
Endlich wieder zelten!
978-3-407-76197-2

Gerda Muller
Was wächst denn da?
978-3-407-76199-6

Hans Wilhelm
Ein Dino spielt falsch
978-3-407-76201-6

Ole Könnecke
Anton und die Mädchen
978-3-407-76198-9

Axel Scheffler /
Julia Donaldson
Stockmann
978-3-407-76189-7

Ole Könnecke
Anton und die Blätter
978-3-407-76205-4

Sang-Keun Kim
**Wenn du Sorgen hast,
rolle einen Schneeball**
978-3-407-76202-3

Tomoko Ohmura
Bitte anstellen!
978-3-407-76204-7

Kai Lüftner
Für immer
978-3-407-76203-0

Komako Sakai
Hannas Nacht
978-3-407-76206-1

Alle MINIMAX Titel finden Sie auf unserer Homepage:
www.beltz.de/minimax